D0550112

Princesse Chloé

entre dans la danse

Cet ouvrage a initialement paru en langue anglaise en 2007
chez Orchard Books sous le titre :
Princess Chloe and the Primrose Petticoats.

Adapté de l'anglais par Natacha Godeau

Conception graphique et colorisation : Lorette Mayon

Hachette Livre, 43 quai de Grenelle, 75015 Paris

Vivian French

Princesse Chloé entre dans la danse

PRINCESSE Academy

Le Palais Rubis

Institution

pour Princesses Modèles

Devise de l'école :

Une Princesse Modèle
est honnête, aimable
et attentionnée.
Le bien-être des autres
est sa priorité.

Le Palais Rubis dispense un enseignement complet, éducation artistique comprise, à l'usage des princesses du Club du Diadème.

Notre programme inclut :

- Concours de Créativité de la Fête de l'Amitié
- Cours de Composition Florale (roses sans épine)
- Cours de Danse et Prestance
- Visite du Salon Annuel de Joaillerie Royale (à l'occasion de l'anniversaire de notre chère directrice)

Notre directrice, la Reine Cornélia, assure une présence permanente dans les locaux. Nos élèves sont placées sous la surveillance de l'enchanteresse en chef Marraine Fée, et de son assistante Fée Angora.

Notre équipe compte entre autres :

• Le Roi Gaspard IV
(Président d'Honneur)

• Lady Arabelle
(Infirmière en Chef)

• Lady Constance
(Secrétaire de Direction)

• La Reine Mère Matilda
(Maintien, Bonnes Manières et Art Floral)

Les princesses du Club du Diadème
reçoivent des Points Diadème afin
de passer dans la classe supérieure.
Celles qui cumulent assez de points
au Palais Rubis accèdent
au Bal de Promotion, au cours
duquel elles se voient attribuer
leur prestigieuse Écharpe Rubis.
Les princesses promues intègrent
alors en quatrième année
le Château de Nacre,
notre établissement de très haut
niveau pour Princesses Modèles,
afin d'y parfaire leur éducation.

Le jour de la rentrée, chaque princesse est priée de se présenter à l'Académie munie d'un minimum de :

• Vingt robes de bal (avec dessous assortis)
• Cinq paires de souliers de fête
• Douze tenues de jour
• Trois paires de pantoufles de velours
• Sept robes de cocktail
• Deux paires de bottes d'équitation
• Douze diadèmes, capes,
manchons, étoles, gants,
et autres accessoires indispensables.

Youpi !
J'entre enfin au Palais Rubis ! On y apprend
à devenir des Princesses Modèles accomplies.
Et c'est fabuleux que tu sois là, toi aussi :
hip, hip, hip, hourra !
Tu connais sûrement déjà les élèves
de la Chambre des Roses : les princesses
Charlotte, Katie, Daisy, Alice, Sophie et Émilie…
Moi, je suis Princesse Chloé,
de la Chambre des Coquelicots.
Je partage ce dortoir avec les princesses Jessica,
Marie, Olivia, Maya et Noémie.

Nous sommes les meilleures amies du monde…
et nous allons passer ensemble
une année fantastique !

À la vraie Princesse Chloé et à sa jolie maman,
la Reine Moira, V. F.

Chapitre premier

— Vous dites, mon enfant ?

Ma nouvelle directrice, la Reine Cornélia, entend très mal. Alors, elle utilise un cornet acoustique qu'elle approche tout près des gens. Elle continue :

— Vous « désirez jouer » ? Mais

c'est lundi, aujourd'hui ! Le jour de la rentrée des classes !

— Non, Votre Majesté, j'ai dit : je suis « désolée » !

Puis, je prends une profonde inspiration et je termine d'une voix haute et claire :

— Je suis désolée d'arriver en retard !

La reine sursaute.

— Inutile de crier, ma chère ! Une Princesse Modèle n'élève jamais la voix ! Maintenant, puis-je connaître la raison de ce retard ?

Je fixe mes pieds d'un air gêné. La vérité est trop idiote ! Je bafouille juste :

— Je ne l'ai pas fait exprès...

— « Déferré » ? répète de travers la directrice. Un cheval déferré ? Toujours la même mauvaise excuse ! Assez perdu de temps : il faut vous installer ! Comment vous appelez-vous ?

— Je suis Princesse Chloé, je réponds du plus fort que je l'ose.

— Princesse « Zoé » ? Ça alors ! J'en ai déjà accueilli une tout à l'heure… Nous aurions donc deux Zoé inscrites au Palais Rubis ? Je demanderai à Lady Constance de vérifier cela plus tard. Connaissez-vous le nom de votre dortoir ?

Je fais « oui » de la tête. La Reine Cornélia comprend mieux le langage des signes !

— Parfait. Filez-y vite, dans ce cas ! commande-t-elle.

Et elle agite son cornet acoustique, me signalant ainsi de ne pas m'attarder plus longtemps.

Je ne me suis pas rendu

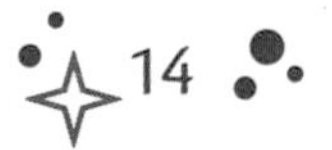

compte que je partais si tard de mon château, ce matin...

Maman est toujours très occupée par les affaires du Royaume, alors c'est Grand-Mère qui veille sur moi. Et elle est très stricte ! Elle estime que je ne dois porter que des robes en satin uni, pour paraître plus grande. Car c'est vrai, je suis plutôt petite, pour mon âge...

Mais moi j'adore les imprimés, les fleurs, les paillettes, les frous-frous, le tulle épais !

D'ailleurs, j'ai beaucoup de chance : mes cousines me donnent leurs robes, quand elles ne

leur vont plus. Et elles sont magnifiques !

Ma préférée est bleu pâle et drapée dans le bas de façon à laisser apparaître les jupons. Tu ne le croiras jamais : ils sont entièrement brodés de petites roses jaunes ! Quand j'ai vu cette robe, j'ai failli m'évanouir ! Mais Grand-Mère a déclaré que les broderies fleuries, ce n'était plus de mon âge, et que je ne devais pas la garder.

Pourtant, je n'avais aucun doute : cette robe serait absolument parfaite pour le Bal de Rentrée, demain !

Alors, j'ai attendu que Grand-Mère descende discuter avec notre cocher… et voilà pourquoi je suis arrivée en retard au Palais Rubis : j'ai ajouté dans ma malle de voyage ma belle robe bleue ! Ainsi que tous les autres vêtements qu'elle m'avait interdit d'emporter, d'ailleurs...

Cela a été long et difficile de leur trouver de la place. Il a fallu les tasser, et les tasser encore.

D'accord, je ne suis pas très douée pour faire les bagages, mais une grosse enveloppe remplie de documents me gênait. Vite, je l'ai mise de côté sur mon lit et j'ai enfin pu fermer la malle !

Au rez-de-chaussée, Grand-Mère criait :

— Dépêchez-vous, Chloé ! Il est l'heure de nous mettre en route !

Comment aurait-elle pu deviner que je refaisais entièrement mes valises ?

Chapitre deux

Les dortoirs ne sont pas évidents à trouver, dans cet immense bâtiment ! Je suis perdue dans les couloirs, lorsque j'aperçois Marraine Fée. Elle marche d'un pas pressé, disparaissant presque sous une pile de cahiers.

— Oh ! Princesse Chloé ! s'exclame-t-elle. Bienvenue au Palais Rubis, mon enfant !

Je demande aussitôt :

— S'il vous plaît, Marraine Fée... Je cherche la Chambre des Coquelicots...

— Eh bien, vous franchissez la double porte en verre, là-bas. Vous traversez la Salle de Bal jusqu'à l'escalier en colimaçon. Il mène aux dortoirs. Vous montez : sur la droite, vous avez la Chambre des Roses et sur la gauche, la Chambre des Coquelicots.

Puis elle me fait un grand sourire avant de s'éloigner du même pas rapide, semant un ou deux cahiers en chemin.

Marraine Fée est l'enchanteresse en chef de toute la Princesse

Academy. Elle est formidable ! C'est mon enseignante favorite. Soit elle se charge de nous en personne, soit elle confie cette tâche à Fée Angora. On passe du bon temps, avec ces deux-là !

Je suis ses instructions à la lettre. Je grimpe l'escalier qui tourne, tourne, et tourne encore. Enfin, je parviens à l'étage des dortoirs. Il y a deux portes devant moi. J'entrouvre la première, et…

Quelle merveille !

Des cascades de roses ornent le papier peint, et les jetés de lit matelassés en sont entièrement brodés !

Charlotte, Katie, Daisy, Alice, Sophie et Émilie sont là. Elles déballent leurs bagages. En m'apercevant, elles me saluent de la main.

— Tu as vu, Chloé ? se réjouit Alice. Notre Chambre des Roses est divine, non ? Tu devrais te dépêcher d'aller découvrir ta Chambre des Coquelicots : tu vas l'adorer !

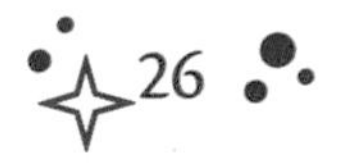

Ni une, ni deux, je me précipite à l'autre porte, dans le corridor. Je l'ouvre et…

C'est encore plus beau !!

Tout est décoré de coquelicots rouges, roses et blancs ! Même le tissage du tapis représente une fleur ! Mes amies sont là, assises sur un lit. Elles bavardent et rient ensemble. Je m'exclame :

— Me voilà !

Tu as déjà été accueillie par cinq amies en même temps ? C'est magique !

— On se demandait quand tu allais arriver, remarque Marie. On commençait à s'inquiéter !

— Que penses-tu de notre chambre ? m'interroge alors Olivia.

— Elle est beaucoup plus jolie que celle des Tours d'Argent !

Jessica acquiesce en souriant.

— Notre nouvelle directrice est très différente de la Reine Samantha, aussi. Tu l'as rencontrée ?

— Oh oui ! je lance. Mais elle entend vraiment mal… Elle croit que je m'appelle Zoé !

Maya et Noémie se mettent à pouffer. Noémie m'explique :

— Pour moi, elle a compris « Aurélie ». Et elle a dit « Bonjour, Magda » à Maya ! Nous avons dû lui montrer chacune notre invitation, pour qu'elle y lise nos vrais prénoms…

À ces mots, je sens ma gorge se nouer.

— Quelle invitation ?

— Celle du Bal de Rentrée, voyons !

Et Marie court à sa table de

chevet. Elle revient en brandissant un carton tout doré, avec une grosse couronne en relief.

Elle le lit tout haut, et ma gorge se serre de plus en plus…

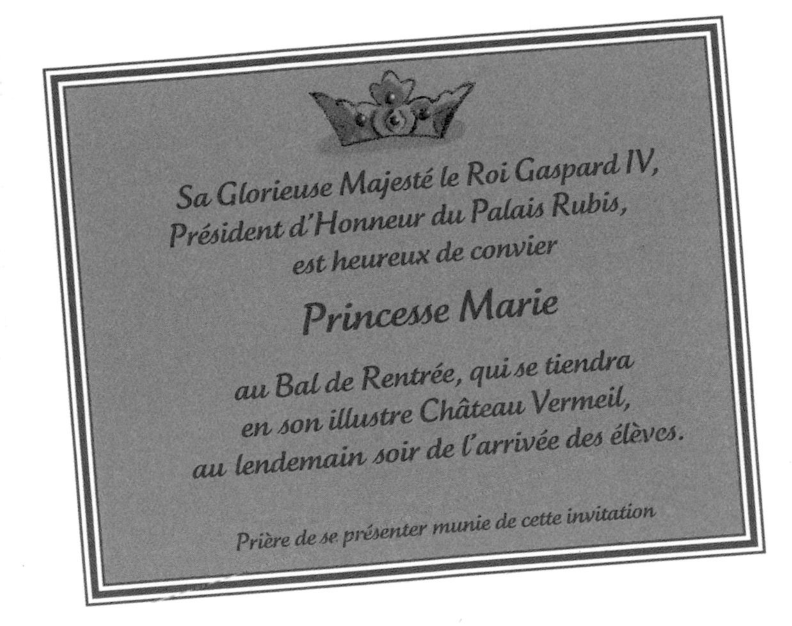

Sa Glorieuse Majesté le Roi Gaspard IV,
Président d'Honneur du Palais Rubis,
est heureux de convier

Princesse Marie

au Bal de Rentrée, qui se tiendra
en son illustre Château Vermeil,
au lendemain soir de l'arrivée des élèves.

Prière de se présenter munie de cette invitation

car je réalise soudain l'horrible bêtise que j'ai faite !

Mon invitation : je l'ai laissée à la maison ! Elle se trouvait dans la grosse enveloppe qui me gênait, dans ma malle…

— Ça ne va pas, Chloé ? s'écrie Olivia. Tu es toute pâle !

— J'ai oublié mon invitation ! je réponds, catastrophée.

Chapitre trois

Mes amies me rassurent : elles disent que ce n'est pas grave. Mais moi je trouve que si ! Même si je peux entrer au Bal, c'est une bien mauvaise façon de commencer mon année au Palais Rubis…

— Tu devrais aller voir Marraine Fée, me suggère Maya.

— Oui, bonne idée !

Jessica bondit sur ses pieds et annonce :

— Je t'accompagne, Chloé !

En traversant la Salle de Bal, nous croisons les jumelles Précieuse et Perla. Les deux pires pestes de l'Académie ! Seulement là, Précieuse paraît très embêtée… Elle a les yeux tout rouges, et elle n'arrête pas de se moucher.

Bien sûr, nous ne l'aimons pas trop, avec mes amies. Mais Jessica et moi nous nous arrêtons quand

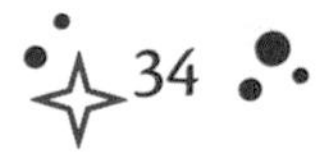

même pour lui demander ce qui se passe. Précieuse se mouche bruyamment :

— Le porteur a oublié l'une de nos malles… Et c'est celle qui contient toutes mes robes de bal !

— Oh là là ! je la plains sincèrement. Je suis désolée pour toi, Précieuse.

— Tu l'as dit à Marraine Fée ? questionne Jessica.

Perla nous toise avec dédain. Elle bougonne :

— Évidemment, elle lui a dit. Elle n'est pas aussi bête que certaines princesses de ma connaissance ! Viens, Précieuse !

Et les deux sœurs s'éloignent, Perla entraînant Précieuse d'une main ferme.

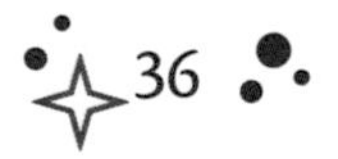

Avec Jessica, nous les regardons partir. Je soupire :

— Pourquoi Perla est-elle toujours si méchante ?

Mon amie hausse les épaules. Elle n'en sait rien non plus !

— Allons plutôt voir Marraine Fée, pour ton invitation !

Nous remontons le corridor principal. Il y a là des tas de portes, mais sans la moindre indication.

— Frappons au hasard, propose Jessica. Choisis une porte, Chloé !

Je réfléchis une seconde, puis :

— Celle-ci !

Jessica frappe trois petits coups…

— Entrez !

J'en ai le souffle coupé ! Cette voix, c'est celle de la Reine Cornélia, notre directrice... Et maintenant, nous sommes bien obligées d'entrer !

La reine est assise à son bureau doré, sa secrétaire juste à côté, sur une petite chaise en velours.

— Tiens, tiens ! s'exclame la directrice. Princesse Jessica et Princesse Zoé numéro deux !

Elle me jette un coup d'œil par-dessus ses lunettes rondes.

— Lady Constance, je vous présente notre fameuse seconde Zoé !

Je m'incline poliment devant la secrétaire... mais voici que je trébuche et tombe par terre ! Je me relève vite, morte de honte, surtout que la Reine Cornélia fronce les sourcils en me contemplant.

— Vraiment, Princesse Zoé ! Il est grand temps que vous appreniez à vous conduire un peu plus en Princesse Modèle !

Puis, tendant son cornet acoustique dans notre direction, elle demande :

— Eh bien, mes enfants ? Quel est le motif de votre visite ?

Sur le moment, j'hésite. Dois-je répondre que je cherche le bureau de Marraine Fée ou expliquer que j'ai oublié mon invitation au Bal de Rentrée ?

— Allons ! s'impatiente la directrice.

Elle tapote du bout des doigts sur son bureau. J'inspire à fond et articule :

— Je suis navrée, Votre Majesté, mais j'ai oublié mon invitation au Bal de Rentrée…

Aussitôt, la reine prend un air très sévère.

— Une erreur est pardonnable, Princesse Zoé. Même deux, à la rigueur… Mais pour un premier jour, je vous trouve bien négligente ! Je vais donc étudier votre cas, au sujet du Bal. Revenez ici demain matin. À présent, vous pouvez disposer !

Chapitre quatre

La tête basse, je sors du bureau de la Reine Cornélia. Jessica me suit en refermant la porte. Pas de veine : les jumelles Précieuse et Perla attendent justement leur tour dans le corridor !

— Vous êtes déjà convoquées

chez la directrice ? persifle Perla avec dédain. Quel record !

— Et vous, alors ?! se fâche Jessica.

— Oh, cela n'a rien à voir, grimace Précieuse. C'est Marraine Fée, qui nous envoie ! Elle veut que je prévienne la reine, pour ma malle manquante…

Je sais, Précieuse n'est pas très gentille. Mais je ne peux pas m'empêcher de la plaindre quand même !

— J'espère qu'on va me la livrer à temps pour le Bal, continue-t-elle d'une voix inquiète. Perla a une robe somptueuse à se

mettre et moi, je n'ai rien du tout !

Jessica lève les yeux au ciel.

— Perla n'a qu'à t'en prêter une, puisqu'on en a plusieurs chacune… Ce n'est pas compliqué !

— Tu te crois toujours la plus maligne, ma pauvre Jessica ! se moque Perla. Je te signale que toutes mes autres tenues de bal sont dans la malle de Précieuse !

Devant nos mines étonnées, Précieuse explique :

— Nous avons une malle commune, pour nos toilettes de bal. Mais Perla a eu peur que sa robe fétiche soit tout abîmée, serrée au milieu des autres. Alors, elle a fait un vrai caprice pour qu'on l'emballe dans une boîte à part.

Elle a insisté, supplié, pleuré ! Mère a fini par céder…

— Résultat : j'ai eu bien raison ! fanfaronne Perla.

— Mais personne ne pouvait deviner que le porteur égarerait notre malle ! sanglote sa sœur.

Je suis désolée pour elle, alors je cherche un moyen de la consoler.

— Si tu veux, je te prête l'une de mes robes, Précieuse. J'en ai emporté des tas et des tas !

À peine ai-je terminé ma phrase que je réalise ma maladresse : les jumelles imaginent tout de suite que je suis une horrible crâneuse !

— Quelle générosité, Votre Altesse-j'ai-plus-de-robes-que-tout-le-monde ! ironise Perla.

— J'ai trop de chance que tu aies décidé de m'aider ! renchérit Précieuse.

Vite, j'essaie de me rattraper :

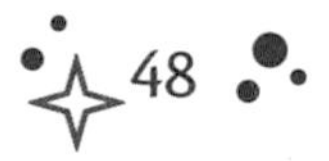

— Non, vous ne comprenez pas ! Je voulais juste dire que...

Trop tard. Perla ouvre la porte du bureau de la Reine Cornélia, et elle s'engouffre dans la pièce avec sa sœur. Jessica me prend gentiment par la main.

— Ne t'en fais pas, Chloé. N'y pense plus !

Mais c'est impossible ! Je plains sincèrement Précieuse...

Elle semblait si malheureuse, tout à l'heure. Je sais trop ce qu'elle ressent, à propos du Bal ! Moi, la seule idée d'être forcée de porter une robe de satin m'a rendue folle... Alors, ne pas avoir

de robe du tout à se mettre, quel drame !

Lorsque nous regagnons la Chambre des Coquelicots avec Jessica, Maya nous y attend.

— Ah, vous voilà ! Les autres sont descendues au réfectoire pour le goûter. Tu as résolu ton problème, Chloé ?

— Pas encore. Je suis convoquée au bureau de la Reine Cornélia demain matin…

— Ne t'inquiète pas, me rassure Maya. Je suis certaine que ça ira.

Elle me tapote l'épaule avec affection et ajoute :

— Vous savez ce qu'on raconte, à l'Académie ? Il paraît que les jumelles ont perdu leur malle !

— Oui, c'est vrai, répond Jessica. On les a rencontrées, au rez-de-chaussée… Elles sont plus insupportables que jamais !

Je murmure :

— Précieuse n'a plus de robe, pour le Bal. Il y a de quoi être de mauvaise humeur…

— « Une Princesse Modèle ne pense jamais de mal des autres », récite Jessica. Eh bien toi, Chloé, en trouvant des excuses à cette peste, tu es une vraie Princesse Modèle !

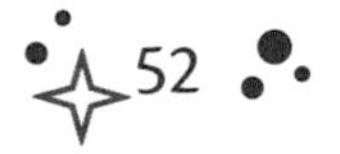

Là-dessus, elle éclate de rire, puis elle nous entraîne dans le couloir, Maya et moi.

— Descendons vite goûter, les filles ! La cloche a sonné !

Peu après, nous remontons à la Chambre des Coquelicots avec mes amies.

Je n'ai pas encore défait mes bagages ! Je m'empresse de sortir ma robe bleue à jupons fleuris de ma malle archi-pleine. Ouf, je suis soulagée ! Elle n'est pas trop froissée.

— Oooooh ! s'extasient mes cinq camarades de dortoir en la découvrant.

— Tu seras la star du Bal de Rentrée ! remarque Olivia tandis que je suspends ma robe préférée aux poignées de l'armoire.

— À condition que la directrice m'autorise à y aller…, je soupire.

— Mais oui, tu verras ! assure Marie, quand, soudain…

Toc ! Toc ! Toc ! Quelqu'un frappe à notre porte !

Et voici que Précieuse sautille dans notre chambre, Perla sur les talons. Précieuse n'a plus l'air triste du tout ! Au contraire, même : elle semble sur un petit nuage de bonheur !

— Je viens choisir ma robe, annonce-t-elle. Le porteur a livré ma malle ailleurs, et je ne la récupérerai pas avant la semaine prochaine !

Mes amies roulent de gros yeux étonnés. Perla persifle :

— Nous avons une telle chance que Chloé-la-merveilleuse-prin-

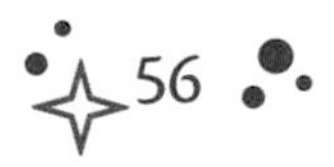

cesse ait des tas de robes de bal… et qu'elle accepte d'en prêter une à Précieuse !

Au même moment, Précieuse aperçoit ma robe à jupons fleuris, pendue à l'armoire. Elle pousse un petit cri aigu, et mon estomac se tord : je sais trop bien ce qu'elle va dire… et elle le dit mot pour mot :

— C'est celle-là que je veux !

Elle avance vers ma jolie robe bleue. Je suis paralysée d'effroi !

— Ah non ! proteste Noémie. Cette robe est la préférée de Chloé ! Elle doit la porter spécialement au Bal du Roi Gaspard !

Précieuse se tourne vers moi, sourcils froncés.

— Alors, Chloé ? Tu me la prêtes ? Après tout, toi, tu en as des tas, des robes de bal…

— Des tas et des tas ! enchaîne Perla. Tu l'as dit toi-même, Chloé ! Et tu as même dit que Précieuse pouvait en avoir une !

Chapitre cinq

Comment refuser à Précieuse de lui prêter ma robe préférée ? C'est vrai que je lui ai proposé d'en choisir une… Et puis, avec Perla, elles m'ont déjà prise pour une vantarde, tout à l'heure ; je ne vais pas encore en rajouter !

Alors, je rassemble tout mon courage… et j'accepte.

— D'accord, Précieuse. J'espère que tu seras contente de la porter…

— Oh ça oui ! Compte sur moi ! s'esclaffe la jumelle.

Et en une seconde à peine, elle s'empare de ma robe bleue avant de sortir de la chambre comme une flèche, Perla à sa suite.

— Tu es un ange, Chloé ! s'exclame Maya. Moi, je n'aurais jamais pu sacrifier ma robe favorite comme ça !

— Que vas-tu mettre, pour le Bal ? demande Marie.

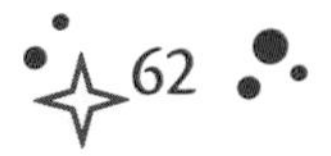

Déprimée, je m'assois sur mon lit en soupirant.

— Je m'en occuperai demain. Si ça se trouve, je n'aurai même pas la permission d'assister au Bal de Rentrée !

Je dors très mal, cette nuit-là. Je n'arrête pas de repenser à toutes les catastrophes de la journée écoulée.

D'abord, j'arrive en retard au Palais Rubis. Ensuite, la directrice n'a pas l'air de beaucoup m'aimer. Je n'ose même pas lui dire qu'elle se trompe de prénom ! Et puis, je risque d'être

privée de Bal… Et le pire : j'ai prêté ma magnifique robe à jupons fleuris à cette peste de Précieuse !

J'ai beau me répéter que j'ai fait une bonne action digne d'une véritable Princesse Modèle… cela ne me réconforte pas, mais alors pas du tout !

Au matin, le réveil sonne. Il est l'heure de se lever, et je bâille à cause du manque de sommeil.

Je sors du lit à contrecœur, je me prépare sans entrain. Marie et Jessica essaient de me remonter le moral mais cela ne sert à rien.

Au petit-déjeuner, je ne peux pas avaler la moindre bouchée !

Nous allons desservir la table, lorsque Marraine Fée s'engouffre dans le réfectoire.

— Bonjour, mes chères princesses ! lance-t-elle de sa voix tonitruante. Je viens vous informer d'un léger changement de programme. La Reine Cornélia estime que certaines d'entre vous ont besoin de réviser leur révérence. Elle craint en effet que votre comportement ne soit pas à la hauteur de celui d'une Princesse Modèle, au Bal de Rentrée du Roi Gaspard !

Marraine Fée ne me regarde pas spécialement en disant cela.

Mais je me sens visée, et je me mets à rougir comme une tomate ! Elle continue :

— Nous allons donc consacrer cette matinée à une répétition générale du Bal de ce soir ! Montez vite aux dortoirs revêtir votre tenue de cérémonie, et rendez-vous à la Salle de Bal. Ne traînez pas : je vous y attends avec notre directrice !

Tout le monde est enchanté… sauf moi ! Je grimpe lentement l'escalier, et quand je rejoins mes amies dans notre Chambre des Coquelicots, elles sont toutes occupées à se préparer. La pièce

résonne de joyeux frous-frous de jupes en soie et de jupons en taffetas épais !

— Et toi, Chloé ? Tu vas porter quoi ? demande Jessica.

Maya l'aide à nouer sa ceinture. Toutes les deux sont absolument superbes !

Jessica a une robe charmante, parsemée d'étoiles argentées. Et

celle de Maya est en velours rose framboise flamboyant.

Je cours ouvrir ma penderie. J'ai tellement mal plié mes jolies robes quand je les ai rajoutées dans ma malle, qu'elles sont encore toutes chiffonnées... et immettables !

Alors, complètement déprimée, je me résous donc à enfiler l'une de celles que je n'aime pas, en satin tout simple.

Une fois habillée, je me contemple dans le miroir et pour un peu, je pleurerais ! Mes amies ont toutes des paillettes, des broderies ou des dentelles sur leur

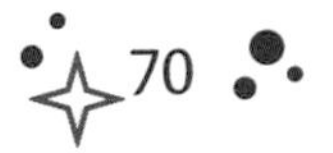

robe, mais la mienne est tristement unie ! En plus, elle est beaucoup trop grande pour moi. Grand-Mère pense qu'ainsi, je la garderai plus longtemps...

— Tu es très élégante, me complimente Marie.

Elle est gentille : elle essaie de me consoler. Car bien sûr, je ne suis pas élégante du tout !

Chapitre six

Les autres princesses du Palais Rubis sont déjà toutes là quand nous arrivons à la Salle de Bal. La Reine Cornélia est au bout de la pièce, sur une petite estrade. En nous apercevant, Marraine Fée nous ordonne de nous dépêcher.

Je me sens si mal à l'aise ! Je me faufile au dernier rang... mais la directrice pointe l'index dans ma direction !

— Princesse Zoé ! Approchez, je vous prie... Votre cas me tourmente beaucoup. J'ai hâte de voir si vous êtes capable de faire la révérence sans vous écrouler !

Forcément, elle me rend encore plus nerveuse, en parlant comme ça ! J'avance timidement jusqu'au premier rang, Marraine Fée me fait un clin d'œil d'encouragement. Je suis trop pétrifiée par la peur pour lui sourire en retour !

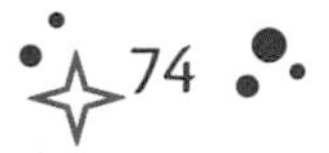

— Mes enfants, commençons ! ordonne soudain la Reine Cornélia. Un pas à droite, pied gauche derrière, menton dressé et... on s'incline ! Oh ! C'est excellent, Princesse Olivia ! Et vous, Princesse Précieuse, très charmant, vraiment !

Elle se tait un instant. Je suis certaine qu'elle va encore me disputer... mais non !

— Princesses Précieuse et Olivia, montez sur l'estrade, mes chères petites. J'aimerais que vous montriez à vos camarades en quoi consiste une révérence parfaite !

Précieuse passe devant moi, pour atteindre l'estrade.

« Elle paraît bien fière de porter ma belle robe à jupons fleu-

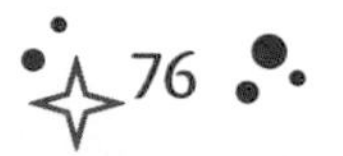

ris ! » je pense avec un léger regret.

Olivia la suit. Elles se tournent côte à côte face à la salle… et la reine écarquille d'immenses yeux étonnés. Elle rajuste ses lunettes en s'exclamant :

— Précieuse, mon enfant ! Votre robe est certes ravissante, mais elle est ouverte dans le dos ! Votre malle n'est pas arrivée, n'est-ce pas ? Alors, d'où vient cette robe de bal ? Elle est trop petite pour vous !

Avant que Précieuse ne puisse répondre, Olivia se prosterne

avec grâce et déclare d'un ton ferme :

— Si vous le permettez, Votre Majesté... Cette robe appartient à mon amie Chloé ! C'est sa robe

préférée, et elle devait la porter au Bal du Roi Gaspard. Mais elle a eu tellement de chagrin pour Précieuse, qu'elle a accepté de la lui prêter !

La Reine Cornélia hoche la tête, satisfaite.

— Quel geste noble et généreux a eu Princesse Chloé ! félicite-t-elle.

Elle paraît aussi perplexe : elle ne connaît pas de Chloé au Palais Rubis ! Elle fouille un moment la salle du regard, derrière moi, puis elle ajoute :

— Princesse Chloé... Venez ici !

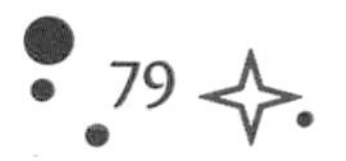

Je retiens mon souffle, j'avance d'un pas, et je m'incline en exécutant la meilleure de mes révérences de tous les temps !

— Comment ? bredouille la

directrice. Qu'est-ce que cela signifie ?

La pauvre ! Elle n'y comprend plus rien ! Marraine Fée s'empresse d'expliquer :

— Il y a eu un léger « malentendu », Votre Altesse ! Cette jeune princesse au grand cœur se prénomme en effet Chloé, et non pas Zoé. Quant à cette histoire de robe, je crois qu'il y a également un malentendu...

À ces mots, elle m'adresse un autre clin d'œil avant d'agiter sa baguette magique.

Une pluie scintillante de poussière de fée emplit alors la Salle

de Bal. Tout le monde se met aussitôt à éternuer !

Lorsque la poudre magique se dissipe enfin, nous nous calmons toutes d'un coup… et je porte à

présent ma sublime robe bleue à jupons fleuris !

Précieuse est vêtue de ma robe de satin uni, et tu sais quoi ? Elle lui va super bien ! Les autres

élèves nous applaudissent ; la Reine Cornélia lève les bras en riant.

— Bravo, Princesse Chloé ! déclare-t-elle. Et je vous présente mes excuses pour vous avoir appelée Zoé… Lady Constance ?

La secrétaire de direction grimpe sur l'estrade.

— Oui, Votre Majesté ?

— Pourriez-vous fournir à notre chère Princesse Chloé une nouvelle invitation au Bal de Rentrée du Roi Gaspard ?

— Sans problème, Votre Majesté ! répond la secrétaire tout en me souriant. Que

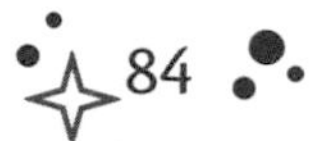

Princesse Chloé entre dans la danse !

Chapitre sept

Le Bal de Rentrée du Roi Gaspard IV a été fantastique !

Nous nous y sommes rendues dans les carrosses privés du Palais Rubis. Ils sont en or, avec de luxueuses banquettes en velours rouge grenat !

Le roi a récupéré nos invitations. Puis, il nous a fait le baisemain à chacune… et il m'a dit que j'étais très belle, dans ma tenue de bal !

Quel compliment ! De confusion, j'ai senti mon visage devenir écarlate ! Mais après tout, tant pis ! Car je portais ma robe préférée, j'étais avec mes meilleures

amies… et nous avons dansé et dansé toute la soirée, jusqu'à ce que nos carrosses viennent nous rechercher !

Nous roulons à présent en direction du Palais Rubis. La lune s'est levée, et nous sommes épuisées ! Dans la voiture, il y a Précieuse et Perla, avec nous six. Soudain, Précieuse me sourit !

— Merci pour la robe, Chloé.

— Elle te va à la perfection, je réplique. Alors tu peux la garder, ça me fera plaisir…

— D'accord, je la garde.

Elle me jette un coup d'œil malicieux avant de noter :

— Si j'accepte, c'est parce que toi, tu en as des tas et des tas, des robes de bal… Tu t'en es assez vantée !

Se moque-t-elle de moi, ou s'amuse-t-elle juste à me taquiner ? En réalité, je n'en ai aucune idée ! Mais je m'en fiche pas mal : je suis tellement bien, au Palais Rubis !

Surtout que tu es toujours la bienvenue dans la Chambre des Coquelicots... et qu'on se revoit dès notre prochaine aventure !

FIN

Que se passe-t-il ensuite ?

Pour le savoir, tourne vite la page !

L'aventure continue à la Princesse Academy avec Princesse Jessica !

La nouvelle année au Palais Rubis se poursuit
avec la Parade Annuelle de l'Amitié.
Les princesses doivent se prouver leur amitié :
le dortoir qui trouvera le meilleur
des cadeaux mènera la Parade. Quelle chance !
Mais Précieuse et Perla comptent bien
faire perdre Jessica... Heureusement,
les vraies Princesses Modèles savent reconnaître
leurs amies !

Les as-tu tous lus ?

Retrouve toutes les histoires de
Princesse Academy dans les livres précédents.

Princesse Charlotte ouvre le bal

Princesse Katie fait un vœu

Princesse Daisy a du courage

Princesse Alice et le Miroir Magique

Princesse Sophie ne se laisse pas faire

Princesse Émilie et l'apprentie fée

Saison 2 : les Tours d'Argent

Princesse Charlotte et la Rose Enchantée

Princesse Katie et le Balai Dansant

Princesse Daisy et le Carrousel Fabuleux

Princesse Alice et la Pantoufle de Verre

Princesse Sophie et le bal du Prince

Princesse Émilie et l'Étoile des Souhaits

Table

Imprimé en France par Jean-Lamour - Groupe Qualibris
Dépôt légal : février 2008
20.24.1551.9/01 – ISBN 978-2-01-201551-7
Loi n°49-956 du 16 juillet 1949
sur les publications destinées à la jeunesse